정석

캘리그라피

김미영·김정희·성희연·이숙희·조면룡·최정희

책을 내면서

캘리그라피는 기록의 기능을 넘어 문자를 아름답게 표현하고자 하는 욕망에 의해 발전해 왔습니다.

2000년대 전후로 한국의 캘리그라피는 본격적으로 꽃피기 시작했으며 현재까지 놀랍도록 많은 발전을 거듭하고 있습니다. 더 아름답고 멋스러운 글씨를 표현하기 위해 많은 사람들이 연구하며 노력하고 있습니다.

인간은 언제나 아름다움을 선망합니다. 기본적인 의식주에서도 욕구를 넘어 그 이상의 아름다움을 추구합니다.
아름다운 글씨를 쓰고 싶어 하는 열망이 커 갈수록 캘리그라피에 대한 기대치도 높아져 왔으며, 이런 현실에 공감한 저자들이 오랜 현장 경험을 바탕으로 정리하고 준비한 서체를 이 책에 싣게 되었습니다.

간단한 서체부터 전문성을 요하는 서체까지 각기 다른 특징과 기법을 통해 자연스럽게 다양한 필법을 익힐 수 있도록 체계화시켰습니다. 누구나 쉽게 작품을 창작할 수 있도록 서체별 작품도 함께 수록하여, 각 서체별 작품의 디자인부터 편집 방법까지 부족한 점이 없도록 꼼꼼히 검토했습니다.

저자들은 이 책이 캘리그라피를 좋아하고 좀 더 다양한 서체를 경험하고 싶은 분들께 많은 도움이 되기를 기대합니다.

2024년 봄
김미영 · 김정희 · 성희연 · 이숙희 · 조면롱 · 최정희

정석캘리그라피는 서체연습을 위한 자료집입니다.

각 서체마다 자음과 모음을 먼저 익히고 단어, 짧은 문장, 긴 문장 순으로 익혀 가시길
추천드립니다. 그리고 작품을 통해 구성 능력을 키우시길 바랍니다.

차례

PART 1. 반달체   06

PART 2. 단미체   36

PART 3. 마이체   62

PART 4. 이정각체   92

PART 5. 잘난체   124

PART 6. 예술흘림체   156

PART 7. 캘리그라피작품   185

반달체

오랫동안
꿈을그리는
꿈은사람은
마침내
그 꿈을 닮아
간다

- 앙드레말로 -

ㄱㄴㄴㄷ

ㄹㅁㅁ

ㅂㅂㅇ

ㅋㅌㅍㅎ

ㅅ ㅈ ㅊ

ㅅ ㅈ ㅊ

ㅣ ㅋ ㅋ

ㅏ ㅏ ㅑ ㅑ

ㅓ ㅓ ㅕ ㅕ

ㅗ ㅗ ㅛ ㅛ

ㅜ ㅜ ㅠ ㅠ

ㅘ ㅖ ㅡ ㅣ

갈무리
눈송이
비올라

딸기쨈

설레임

솔바람

예쁜날

줄리엣

컬러풀

날개 만남

산행 엄마

열경 터널

파랑 퀀사

달맞이꽃

요술램프

노래자랑

행복꽃밭

꽃보다당신
맛있게살가
시냇가에서
함께해요

참좋은사람

달빛고운밤

아름다운삶

기분좋은날

숲속을걸어요

하늘이예쁜날

노래가흐르네

위로가필요해

사랑하고 감사 합니다

반짝
이는건
별들만이
아니

꽃처럼 예쁘게 향기 나는 삶

오늘은또
어떤일이
펼쳐
질까요

너라는
이유만으로
충분히좋다

당신
자신을
돌보아
주세요

걱정
하지마
함께
걸을게

꿈을 향해
걸어가며
기대한다

우리무작정
행복해지기로해
지금부터

담장위의장미꽃
널닮았네

오늘도나와
사이좋게지내자

마당넓은집에
꽃을키우네

행복이오지않으면
찾아가야지

햇살가득한창에
바람이들면

나는언제나
곁에서
네편이되어줄게

얼마나 좋을까
함께
할수있다면

세상을 향해
큰소리로외치다

햇살을
곱게썰어서
고추밭에
한줌 뿌리고
사과밭에
두줌뿌리고

강원석님의시
햇살곱게썰어서에서

어떻게
태어
났는지는
중요하지않아
어떻게
사는지가
훨씬더중요
하단다

- 개구쟁이스머프중에서 -

하루를
잘보내면그게
좋은한주가될
것이고좋은
한해가되고
그러면그게
즐거운인생이
되는거야

-인사이드아웃명대사-

마음을
접고접어
꽃한송이
를 만들고
사랑을
품고품어
향기한줌
모으고

— 강원석 '너에게 꽃이다'에서 —

아름다운
젊음은
우연한
자연의현상
이지만
아름다운노년은
예술작품
입니다

- 엘레나 루즈벨트 -

어리석은
사람은
멀리서
행복을찾고
현명한사람은
자신의발치에서
행복을키워
간다

— 제임스 오펜하임 —

단미체

능력이 없으면
열정이 있어이는
하고 열정이
없으면
겸손해야하며
겸손하지도 못하면
눈치가 있어이는
한다~

─ 배우 차승원의 말 ─

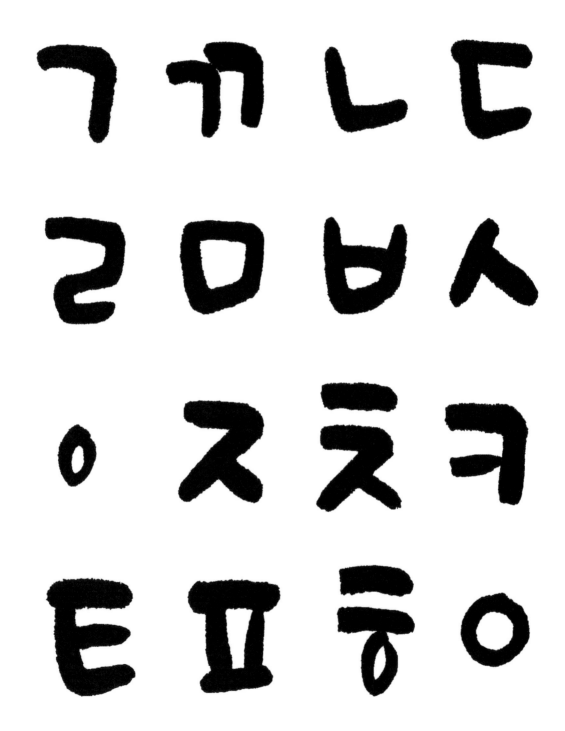

ㅏ ㅏ ㅌ ㅓ

ㅓ ㅋ ㅗ ㅗ

ㅛ ㅜ ㅜ ㅠ

ㅠ ㅔ ㅐ ㅖ

ㅋ ㅗㅏ ㅡ ㅣ

갈대 농부

담장 로마

만두 반지

사랑 안녕

주단 찬가

쿠키 탐라

장구 쑥떡

포옹 홍시

눈이부신날에

하늘을향해

진달래꽃피어

나를사랑하자

별처럼빛나라

꽃을피우는맘으로

생각이떠올라

빛나라내인생

달을보며네생각

두근두근설레임

웃어요 예쁘게

오늘을

살아가세요

눈이부시게

나는 보석이다~

내마음에 주단을깔고

고양이는
봄이로구나

토닥토닥
잘했어

널응원해

멈추면
비로소보이는
것들이있다

저높은곳을
향하여

아침햇살
가득한날

바람이 분다
살아야
겠다

꿈이
꿈 있는한
나이는 없다

행복이 올지
걱정 말아요

당신을
바라봅니다

피어나라
꽃향기
가득
하도록

언제쯤
내마음이
너에게
닿을까

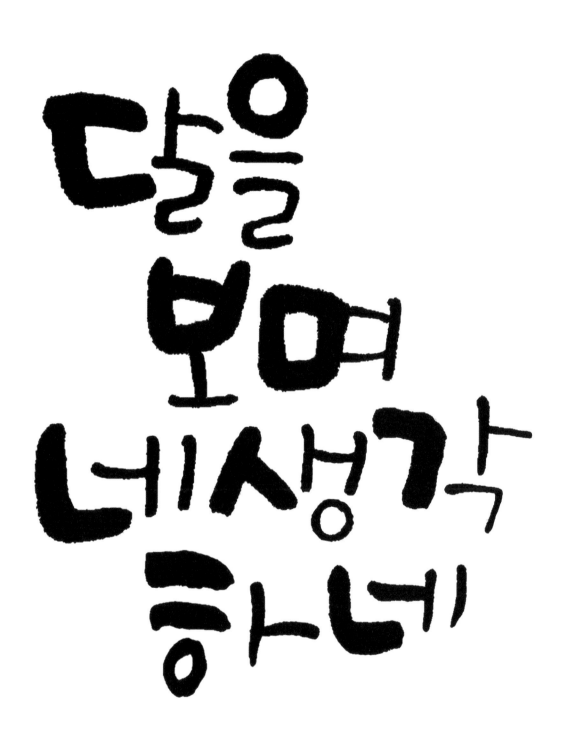

달을
보며
네생각
하네

재능은 꽃 피우는것
센스는 갈고 닦는것

― 하이큐 ―

나무는
꽃을 버려야
열매를
맺고
강물은
강을 버려야
바다에
이른다
- 화엄경 -

동그라미를
그려보아요
세상을 보는
당신의
눈입니다
눈 모나지않게
둥글게
둥글 세상을
보아요

— 강원석 詩 '눈과 마음' 중에서 —

사랑은
오래참고
사랑은온유하며
시기하지
아니하며사랑은
자랑하지
아니하며
교만하지
아니하며

― 고린도전서 4:6 ―

시들어도
떨어져도
다시필
꽃잎인데
꽃 시든꽃이라고
흘겨보지마라
누가 저꽃보다
아름다울까

— 강원석 詩 '누가저꽃보다' 중에서 —

봄비가
몸 자욱히
연못에 내려
싸늘한
기운이
비단휘장에
스며드네요

― 허난설헌 시 중에서 ―

불어오는
바람속에서
낯익은
향기가
납니다
언젠가
내곁에
오래도록
머물던
그향기

— 강원석 詩 '장미꽃향기' 중에서 —

평안을너희에게
끼치노니
곧나의평안을
너희에게주노라~
내가너희에게
주는것은
세상이주는것같지
아니하니라~
너희는마음에
근심도말고
두려워하지도
말라~

— 요한복음 14:27 —

마이체

지와말

나의시가—
꽃이되어
꽃내가슴에
자라면
너의말은
향기되어
이세상에
퍼질거야

강원석님의
지와말을
달달김미면
산다—

ㄱ ㄴ ㄷ ㄹ
ㄹ ㅁ ㅂ ㅅ
ㅅ ㅅ ㅇ ㅈ
ㅈ ㅊ ㅊ ㅊ
ㅋ ㅌ ㅍ ㅎ

ㅣ

ㅏㅑㅓㅕ

ㅗㅛㅜㅠ

ㅔㅐㅘ

감성 가을
환격 놀자
돌다리 환
타투이스트

선물 국민

아기달빛

자유 시간

인형 얼굴

파티 전통

초원 타일

행복 철창

포도 힐링

캔디와
테리우스

원피스와
조커

꽃으로 살래요
힘내요 당신

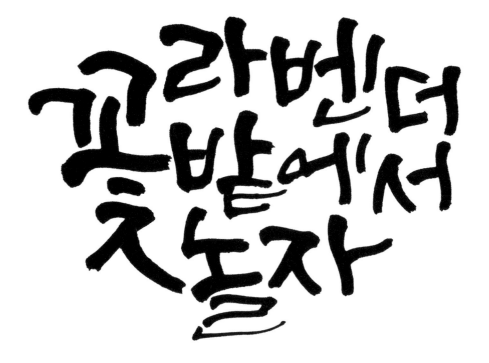

모든날
함께해

라벤더
꽃밭에서
춤놀자

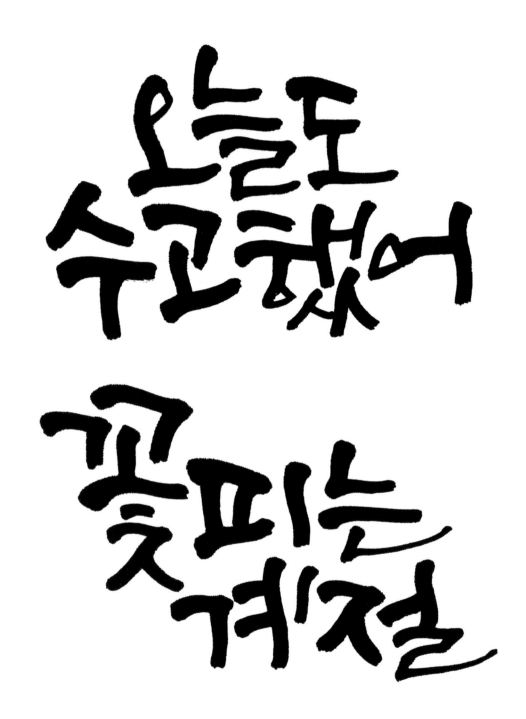

오늘도
수고했어

꽃피는
계절

개나리와
노랑병아리

안녕하세요
봉쥬르

초록이랑 노랑이랑 놀아요

웃음속에 피어나는 오늘

피아노
잘치면
좋겠네

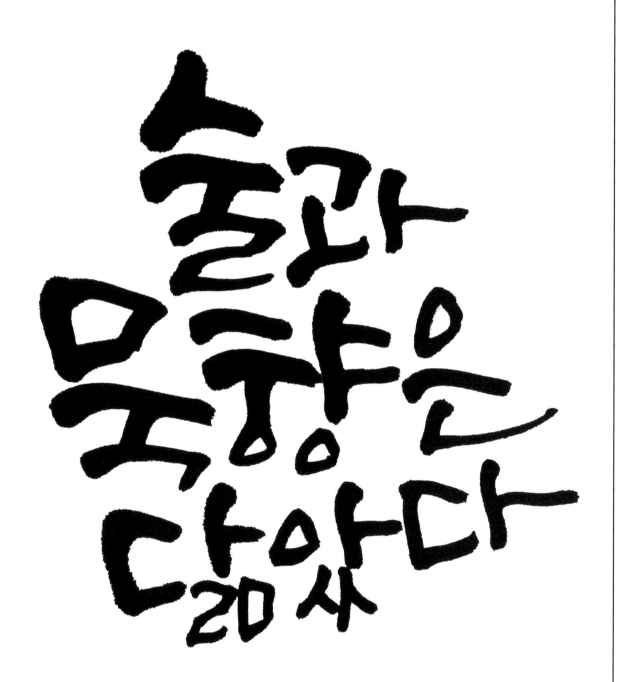

술과
문화은
담아다
20사

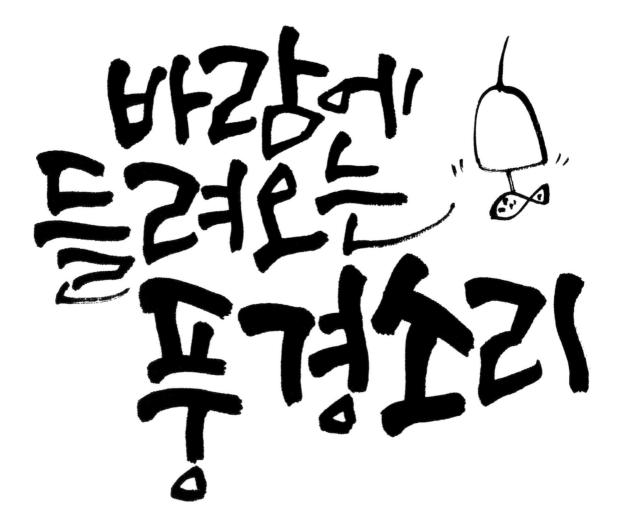

봄날이 우리를 설레게 한다

풀벌레
소리에
고향소식
들려온다

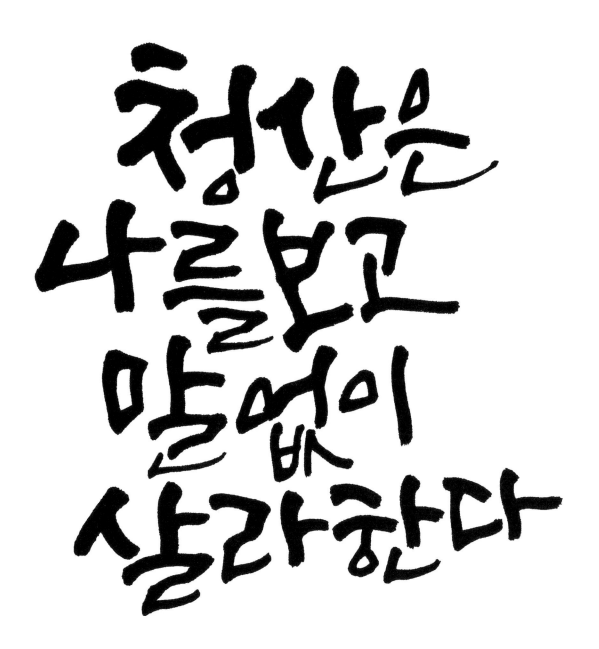

청산은
나를보고
말없이
살라한다

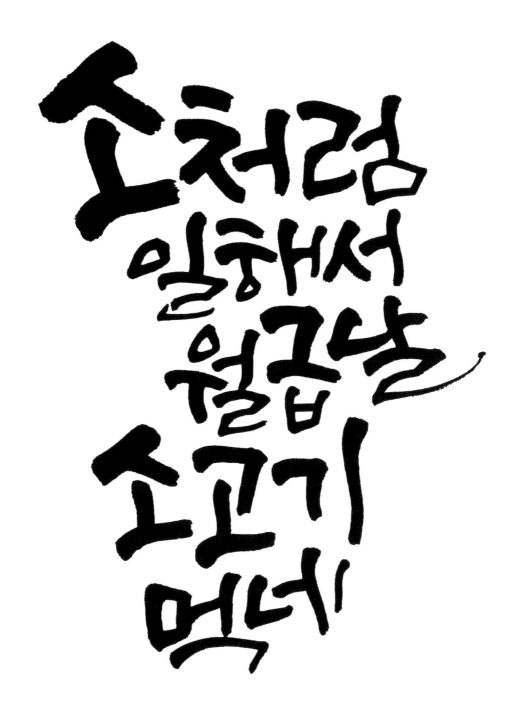

소처럼 일해서 월급날 소고기 먹네

참
살고있는
내가고맙고
잘살아가고있을
당신도
고맙다

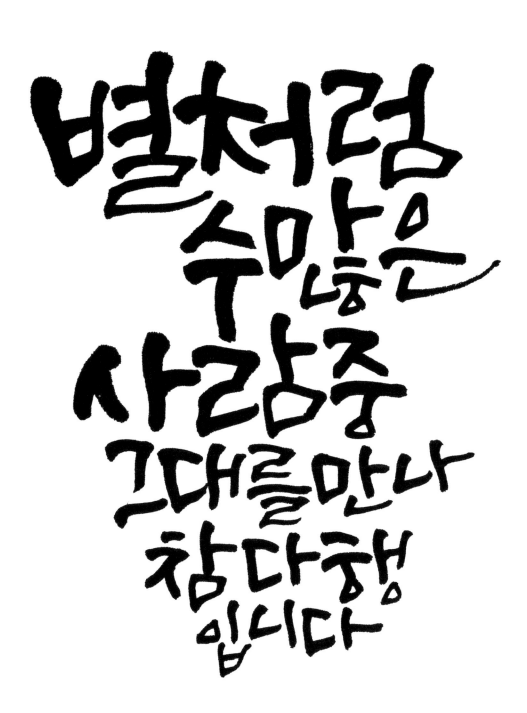

별처럼 수많은 사람중 그대를 만나 참 다행 입니다

달이 암만 밝아도
쳐다볼 줄은
예전에 미쳐
몰랐어요

김소월님의 예전엔
미쳐몰랐어요 중간에쓴다~

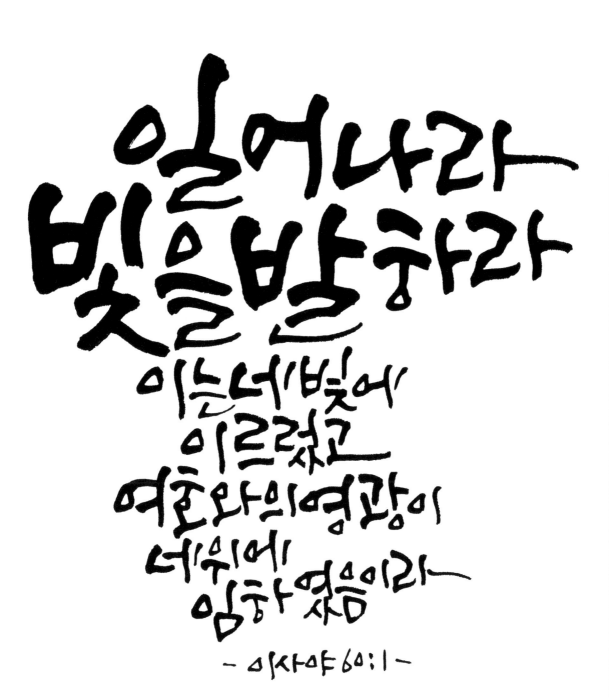

일어나라
빛을 발하라
이는 너의 빛이
이르렀고
여호와의 영광이
네 위에
임하였음이라

- 이사야 60:1 -

무지개
뜨는구름
사이의하늘
행운의길조인
딸색조가
낳른다

유한근님의
무지개기지개를켜다중에서

찬바람에
도사리고
있던 나는
이제야
문 푸지를
뜰 노라니
매무새를
갖춘 나모이
되고 싶다

유한근 님의
차가운 봄맞이 중에서

이정각체

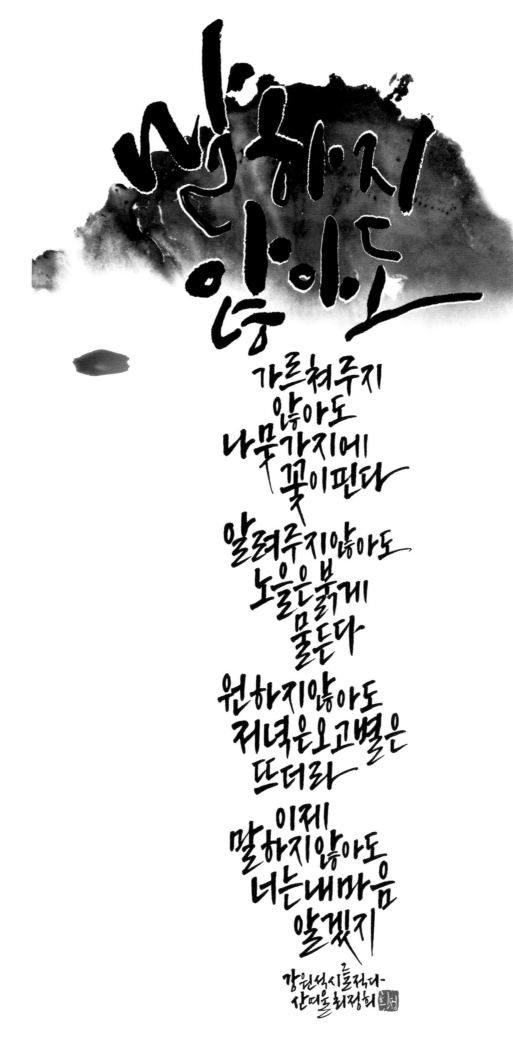

말해지 않아도

가르쳐주지
않아도
나무가지에
꽃이핀다

알려주지않아도
노을은붉게
물든다

원하지않아도
저녁은오고별은
뜨더라

이제
말하지않아도
너는내마음
알겠지

강원석시를러다
산떠울 최정희

ㄱ ㄴ ㄷ ㄸ
ㅂ ㅌ ㅋ ㅍ
ㅇ ㅅ ㅈ ㅎ
ㅊ ㄹ ㅎ ㅎ

능소화
눈동자
시냇물

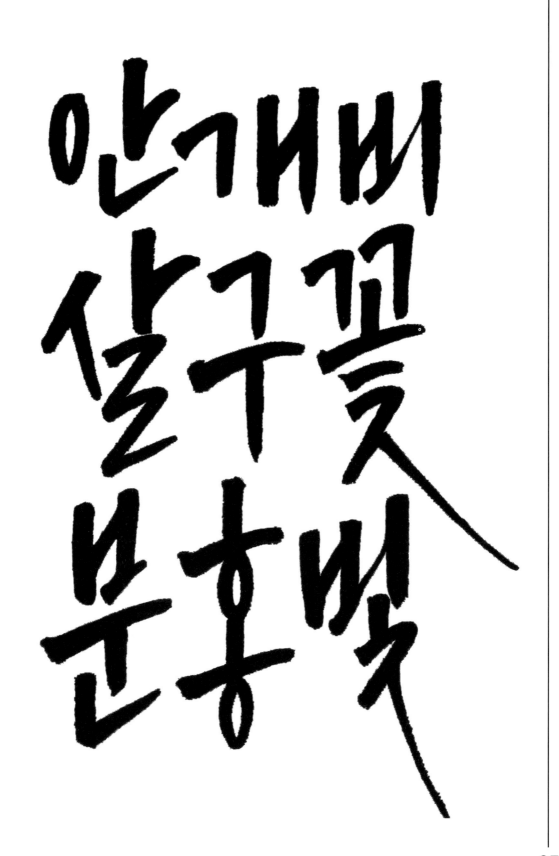

안개비
살구꽃
분홍빛

초승달
보름달
디딤돌

설레임
수목원
산책길

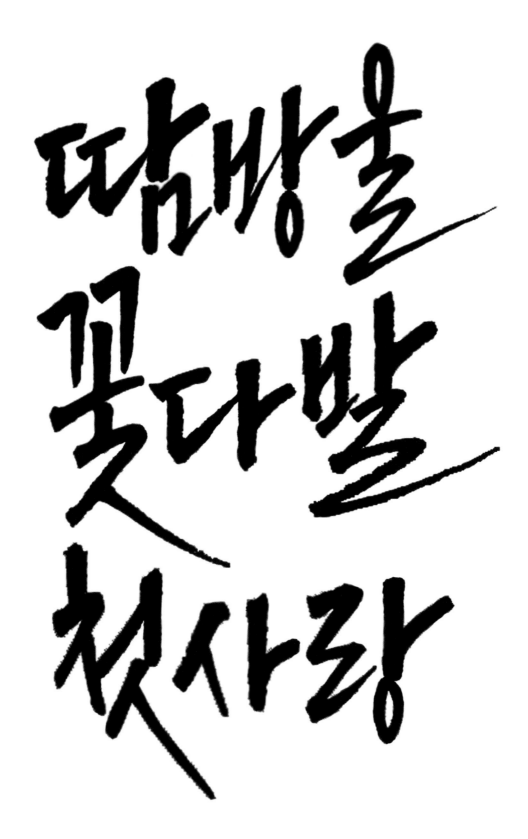

땀방울
꽃다발
첫사랑

반딧불이
봄날루여
역전인생

나뭇잎새 붉은노을 단풍나무

산그림자
저녁하늘
흰나비떼
동박재집

장미꽃다발
찬란한별빛
꽃이름텃밭
흩날리는꽃

큰별작은별
흩날리는벚꽃
라일락향기
모습내얼굴

황금빛
모과의
향기

흘러가는 별들

별이 좋은날

강원석 시 '예쁜 하루'에서 가려적다

마른사랑 남은꽃잎

강원석 시 '꽃차'에서 적다

벚꽃잎 닮은 내 그리움

강원석 시 '벚꽃잎'에서 적다

행복한
매일매일이
될거야

꽃도
햇살도
곱고 예쁜
하루

강원석 시 '예쁜하루'에서 가려적다

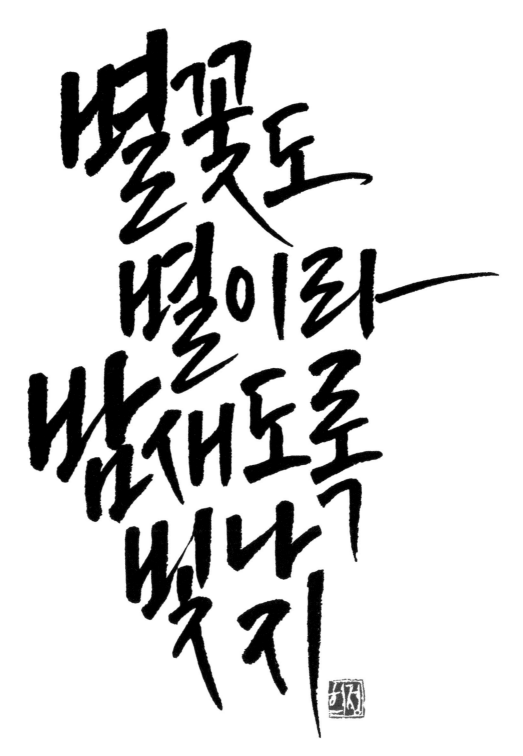

별꽃도
별이라
밤새도록
빛나지

강원석 시집 내 그리움이 그대 곁에 머물 때 중 '별꽃'에서 적다

아침에
눈을뜰때
새들이
지저귀면
좋겠습니
다 소유

강원석 시집 너에게 꽃이다 중 '아침에 눈 뜰 때'에서 가려적다

말하는
대로
생각하는대로
이루어지다

새해
재닫자아침

친구란
두사람의
신체에사는
하나의
영혼이다
산여율

확신이
서지않을때
진실을
말하라

산여울

웃음은
강장제이며
안정제이고
진통제이다
산여율

탁월함을
완성하는
데에는
오랜시간이
걸린다

산여울

자연의
속도에
맞춰라
그 비결은
인내하는
것이다
산여울

살아가면서
닥치는일은
그것이
무엇이든
자신이해결
해야한다
버지니아울프

무엇이아니라
어떤사람이
되기로결심하면
많은것을
벗어버릴수
있다

코코샤넬어록에서 옮겨적다

자신의
능력을감추지
마라
재능은
쓰라고주어진
것이다

그늘속의
해시계가
무슨소용이랴

산여울

잘난체

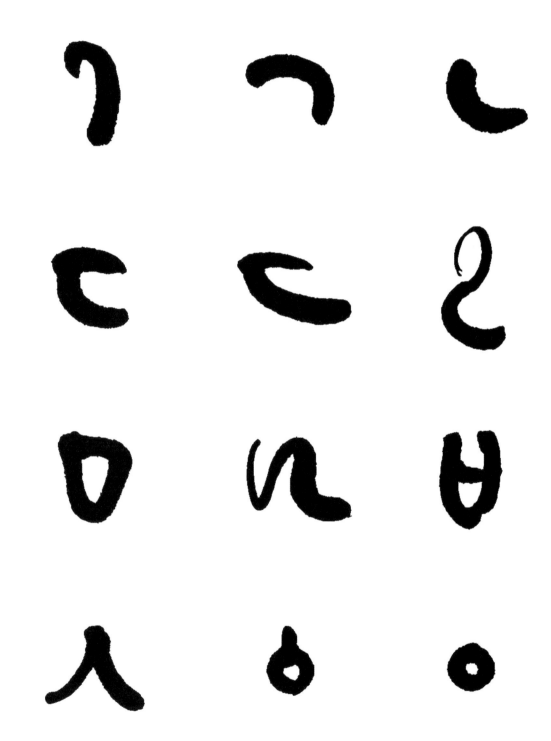

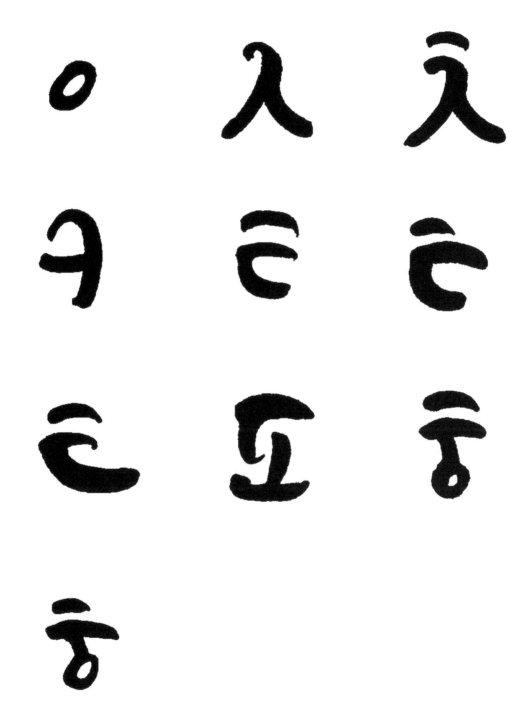

ㅏ ㅑ ㅓ ㅕ

ㅗ ㅛ ㅜ ㅠ

ㅡ ㅣ ㅐ

ㅔ ㅒ ㅖ

겨울 고래

접시 노력

날개 나라

돌담 등대

달인 럭키

라인 도망

무더 만화

면담 별집

반도 보름
소풍 산새
솔잎 언덕
연결 운동

사슴 서울

졸업 철도

청춘 책방

커피 컨셉

콜라 핵배
탈춤 렌트
폭포 파도
평화 학교

호떡 화동

소금 친구

무항 산책

풀머리
라일락
널뛰기
도시락

반덧불
청사초롱
은하수
바람의숲

하현달
꽃다발
섬마을
망숭한

송사탕
돗단배
꽃망울
파란하늘

돈 난 날뿌리 현상

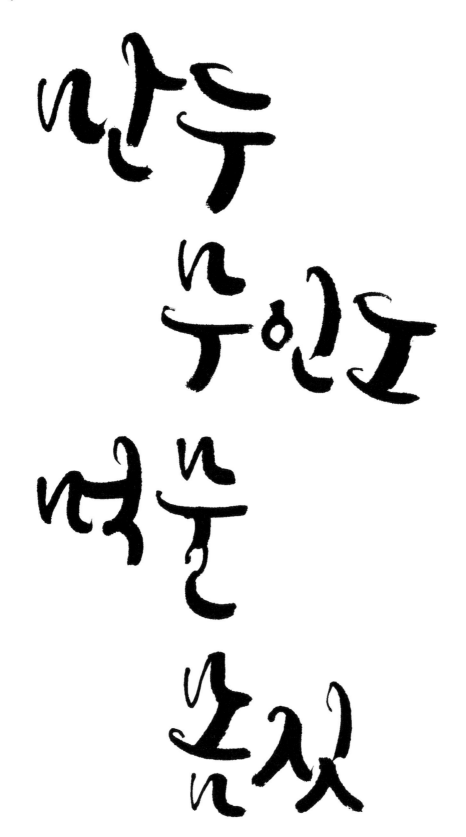

만두
누인
떡눈
눈짓

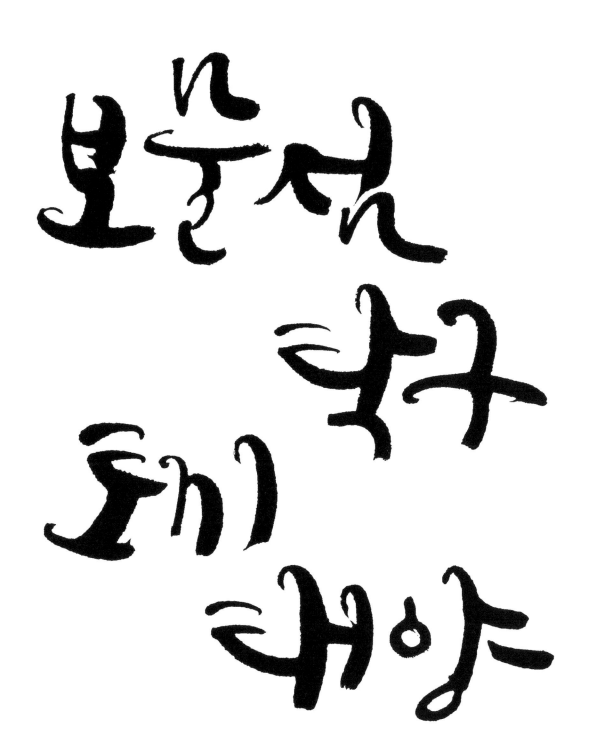

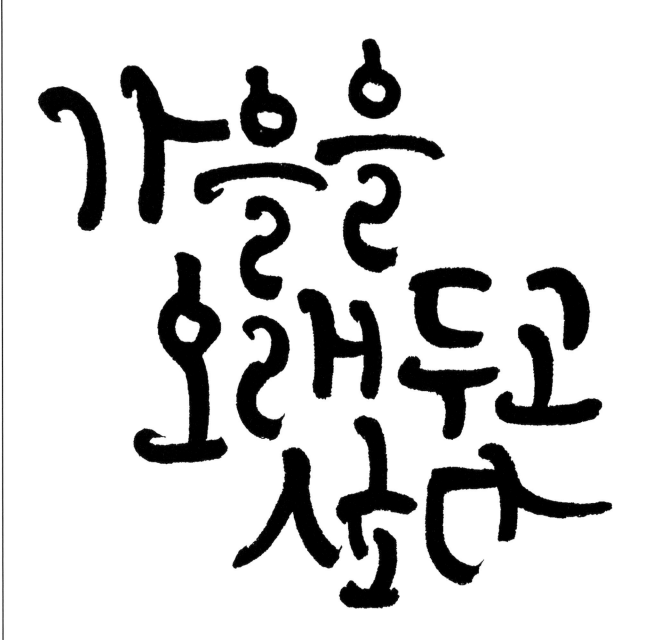

유한근 시 [가을을 오래 두고 싶다]에서 적다

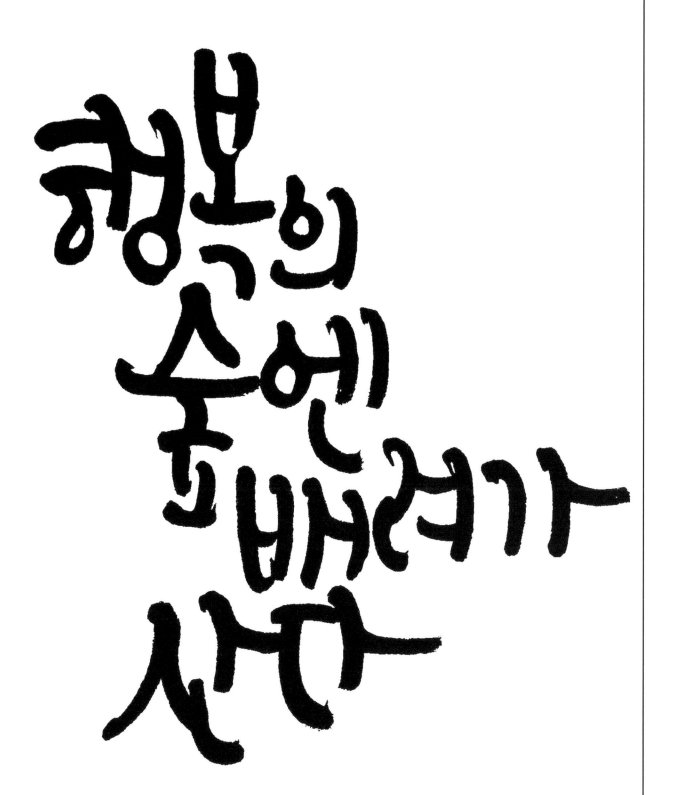

행복의 숲엔 버려가 산다

길에서 자연을 만났다

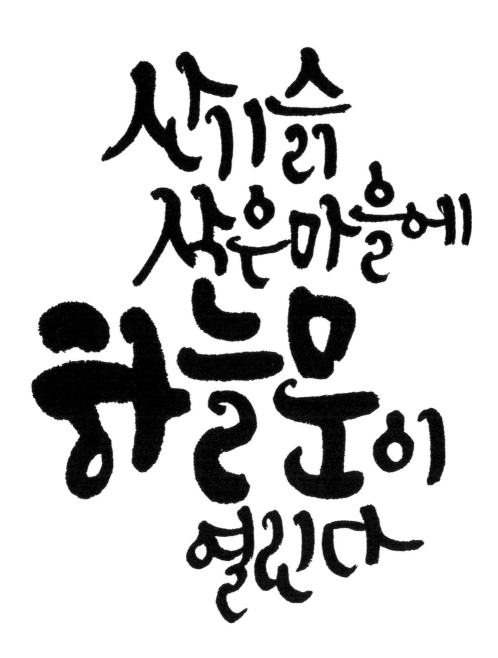

산기슭
작은마을에
하늘문이
열린다

꽃샘
추위에
두손
감싸면서
손시렵세라
호호
불어주던
엄마의
입바람이
생각
납니다

유한근 시 [꽃샘추위] 에서 적다

하얀
얼굴

까만
눈도자

꽃필무렵
오시더던
우리님은

소식이
없고

그리움만
몽글몽글
이슬로
맺혔다

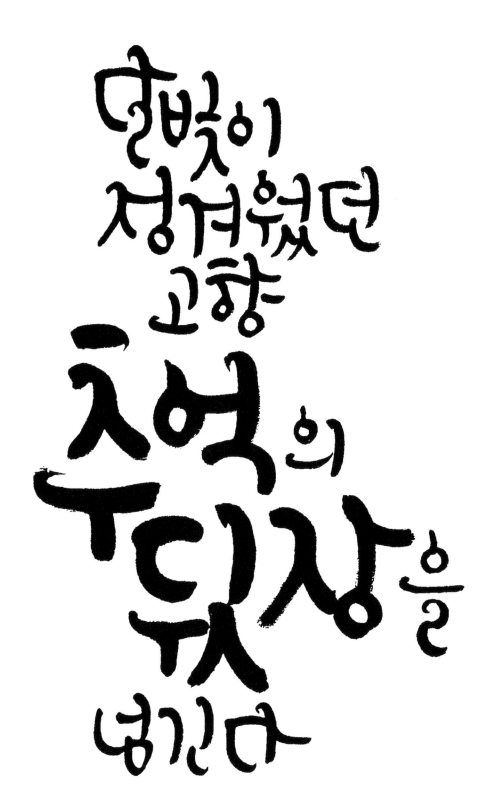

달빛이
젖겨웠던
고향
추억의
뒷상을
넘긴다

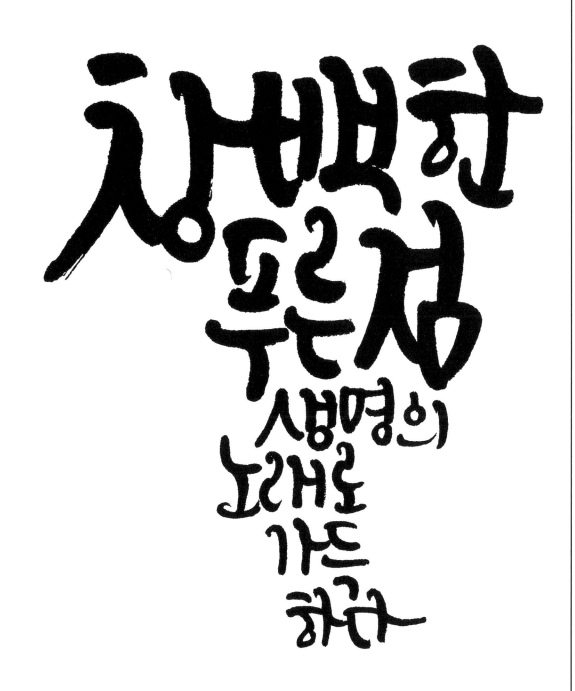

상백한
푸른섬
생명의
노래로
가득
하리라

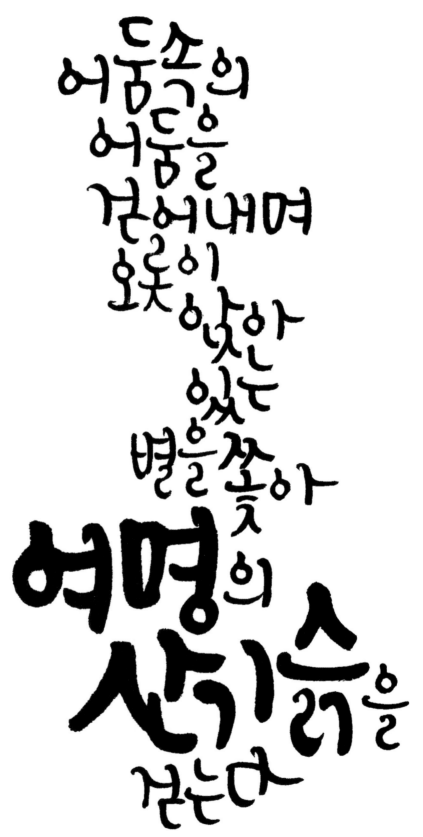

어둠속의
어둠을
걷어내며
오롯이
혼자
있는
별을 쫓아
여명의
산기슭을
걷는다

유한근 시 [4월에 내린 비] 중에서 적다

고양이 군변이라

꿈은 계속된다

여난이 필요해

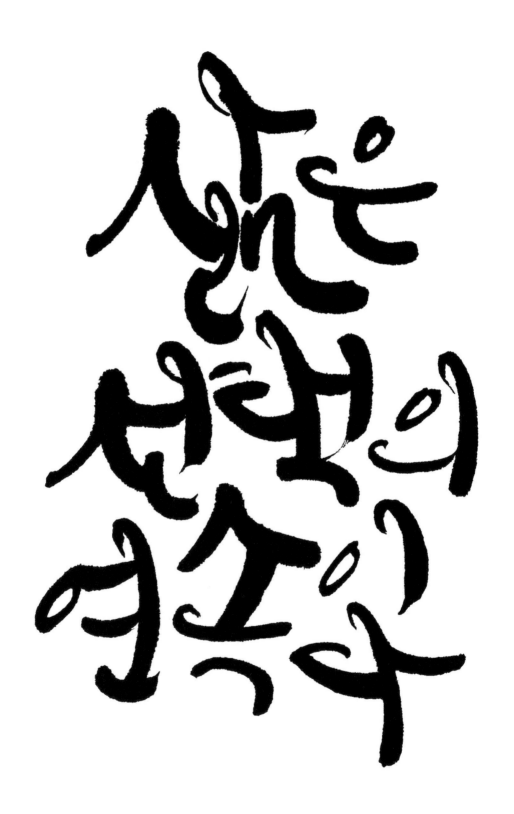

삶은 선택의 연속이다

예술흘림체

소리에
놀라지 않는
사자처럼
그물에
걸리지 않는
바람처럼
진흙에
물들지 않는
연꽃처럼

ㄱ ㄴ ㄷ ㄹ

ㄹ ㅁ ㅁ ㅃ

ㅂ ㅅ ㅇ ㅈ

ㅊ ㅊ ㅋ ㅌ

ㅌ ㅍ ㅎ ㅎ

ㅏ ㅏ ㅏ ㅑ

ㅓ ㅓ ㅕ ㅗ

ㅛ ㅜ ㅠ ㅡ

ㅣ ㅐ ㅔ ㅆ

모래 약속

물간 옥돌

반달 전철

캔틴 파도

터널 폴더

택배 할링!

호수 행복
천국 향기
친구 당신
존재 진흙

라일락

로망스

봄바람

소나무
상사화
작엽실

카메라

그리움

코발트

그대 향한
그리움

청춘은
바로
지금이다

달빛이
깊어지는밤

바람의
노래에
귀기울여요

맑은물소리
들려오는숲

그럼에도
불구하고

코스모스
춤추는
가을들판

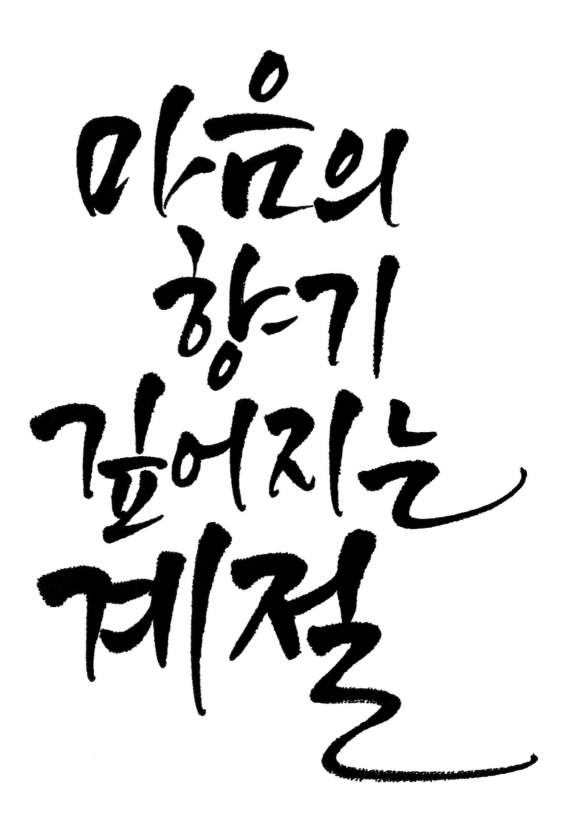

마음의
향기
깊어지는
계절

비가내리고
음악이
흐르면
난당신을
생각해요

우리
사랑하려면
오래
사랑하자

무소의
뿔처럼
혼자서
가라

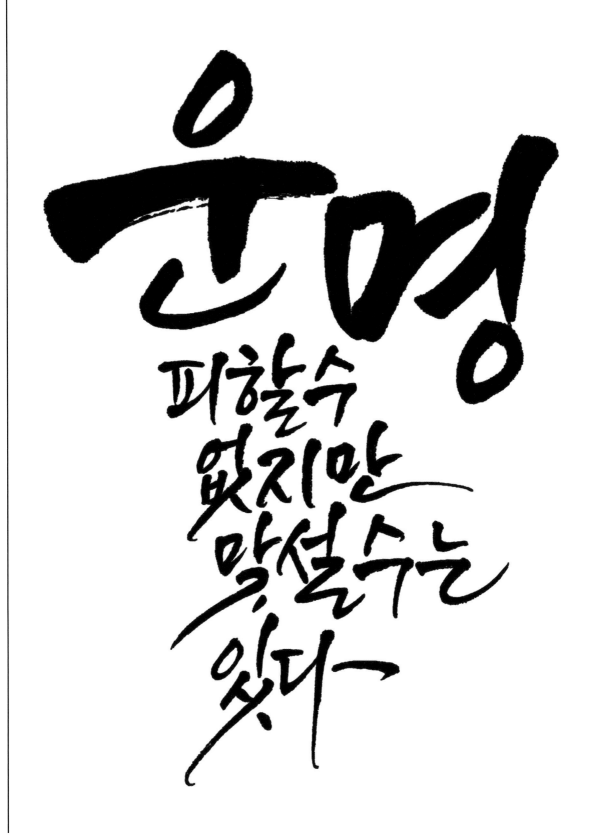

운명
피할수 없지만 맞설수는 있다

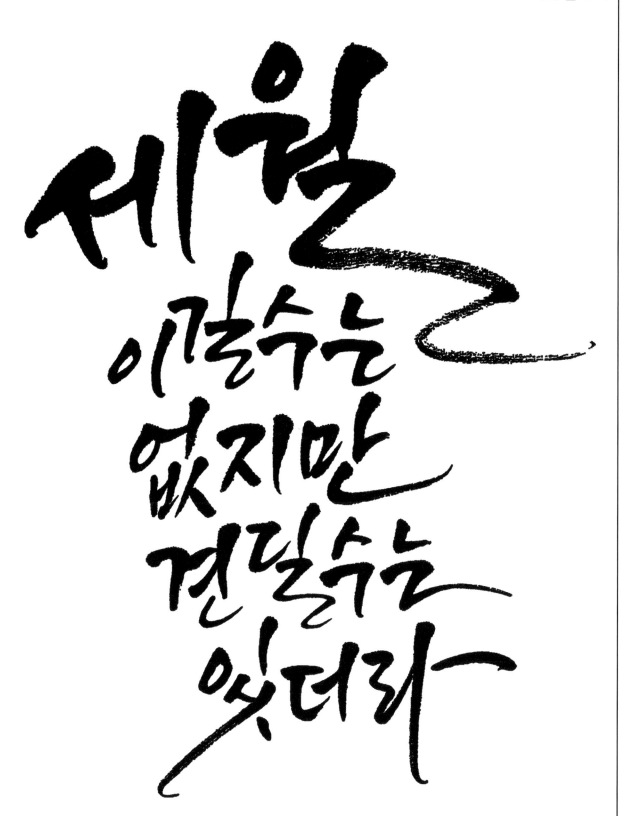

세월
이길수는
없지만
견딜수는
있더라

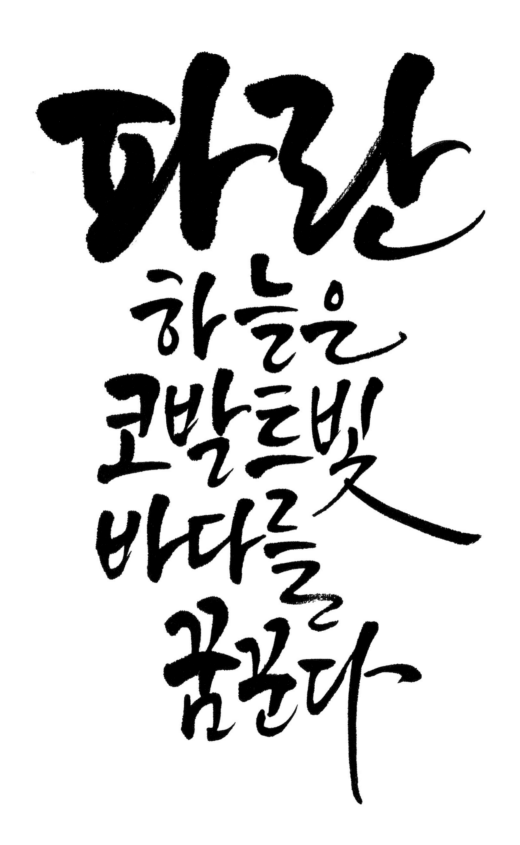

파란
하늘은
코발트빛
바다를
꿈꾼다

오늘도
별들은
당신을
위해
빛나고
있다

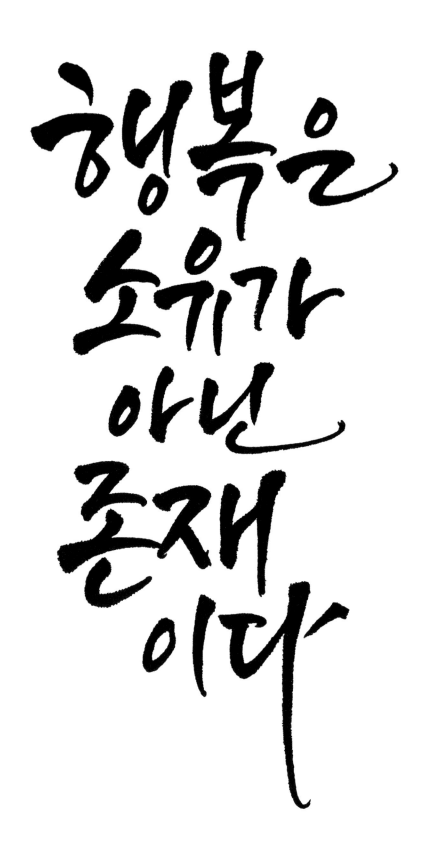

행복은
소유가
아닌
존재
이다

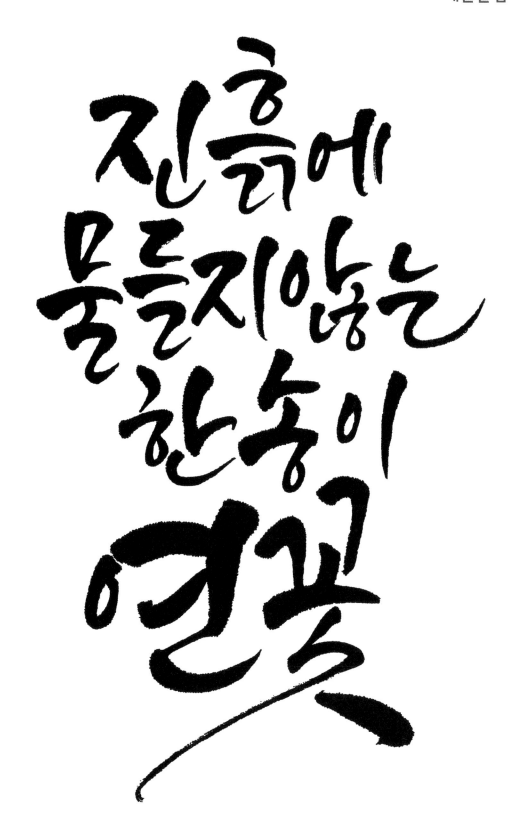

진흙에 물들지않는 한송이 연꽃

창밖에
달이밝으니
너무도
사랑스러워
잠을이룰수가,
없네

투명하게
피어나는
얼음꽃처럼
우리도
새롭게
피어나리

사랑하되
집착하지않고
미워하더라도
그감정이
오래
머무르지
않길

작품

덕분입니다

나혼자 열심히
살아낸것 같지만
기둥처럼 받쳐주고
공기처럼 숨쉬게하는
누군가가 있더
라구요
한두명이 아니라
...

— 숙희생각 —

2020. 여름
suk hee

수고하셨어요

피곤하게 귀가하는 날은
누군가 해주는
이 말이 듣고 싶더라구요
누가 해주지 않는다면
내가 나에게
해주면 되지요.ㅎ

— 숙이생각 —

보고싶어요

나도 이말이
하고싶네요
보지 못해도 그런 사람이
있다는게
감사하고 내게
이런 말 해주는
사람이 있다는 것도
감사하죠
... 있을거예요^^

— 숙희생각 —

사랑합니다

개인적으로
잘하는 말은 아니지만
당신은 사랑받으며
살아내고 있다고
생각해요
나도 그러합니다

－숙키생각－

감사합니다

도움받는게
부끄러운 일인줄
알았던 적이 있습니다
함께사는 세상에
도움받을때도 있고
줄때도 있죠
받은만큼
돌려주기보다
또다른 사람에게 흘려보낼
때도 있지만…
잊지않으려해요
받은감사

－숙기생각－

190

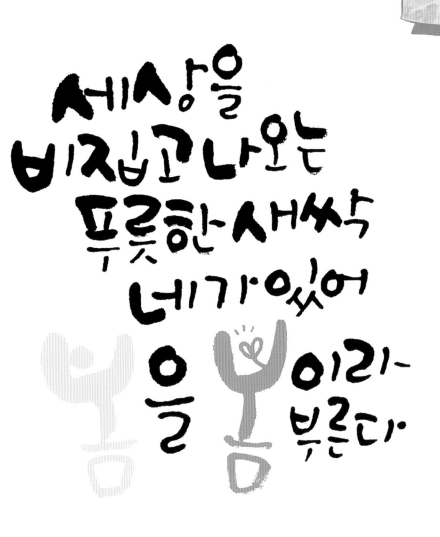

세상을
비집고 나오는
푸릇한 새싹
네가 있어

봄을 봄이라
부른다

— 강원석님의 '새싹' —

시냇가에
심은
나무가
시절을
좇아과실을
맺으며
그잎사귀가
마르지아니함
같으니그행사가
다형통하리로다

—시편1:3—

192

이세상에
태어난이상
당신은이모든걸
매일누릴
자격이있습니다
대단하지않은
하루가지나고
또별거아닌하루가
온다해도

인생은
살가치가
있습니다

- 드라마 '눈이부시게' 명대사 -

눈이
부셔

후회만 가득한
과거와
불안하기만 한
미래 때
문에 지금을
망치지
마세요

오늘을
살아가세요
당신은 그럴
자격이 있습니다

드라마 '눈이 부시게' 명대사

어른이 되면
별은 더 가까워지는데
꿈은 점점
멀어져간다

언제나
꿈 꿀 수 있다면
시간이 흘러도 그 삶은

별처럼
빛날
거야

- 강원석님의 '꿈꾸는 너에게' 중에서 -

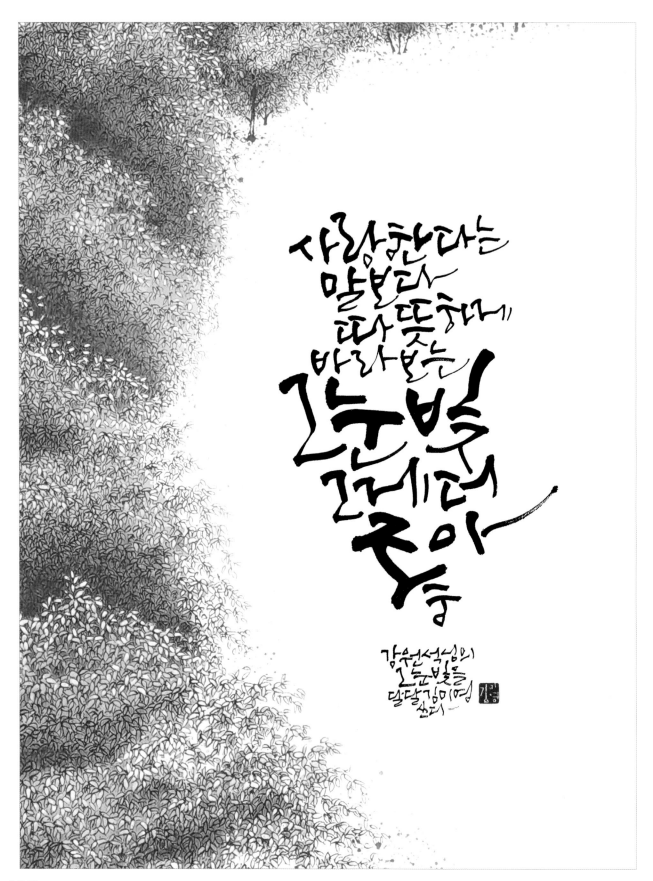

사랑한다는
말보다
따뜻하게
바라보는

그눈빛
그게너무
좋아

강우현석생의
그눈빛을
달달김미영
샘과

가슴시린날
영문않아안
그렇게날새벽에
하늘을보며
밝아오는태양
눈부심에
그대의
미소가
있어요

강우현선생의
드로잉중
삼달김이영
가려썼다.

197

보아주지 아니할아줘아 좋아지 좋아줘 좋아지 잘아피어있는꽃 잊지마 너는 꽃이야

가원선생님이
딸에게 글
달달 읽으며 쓴다

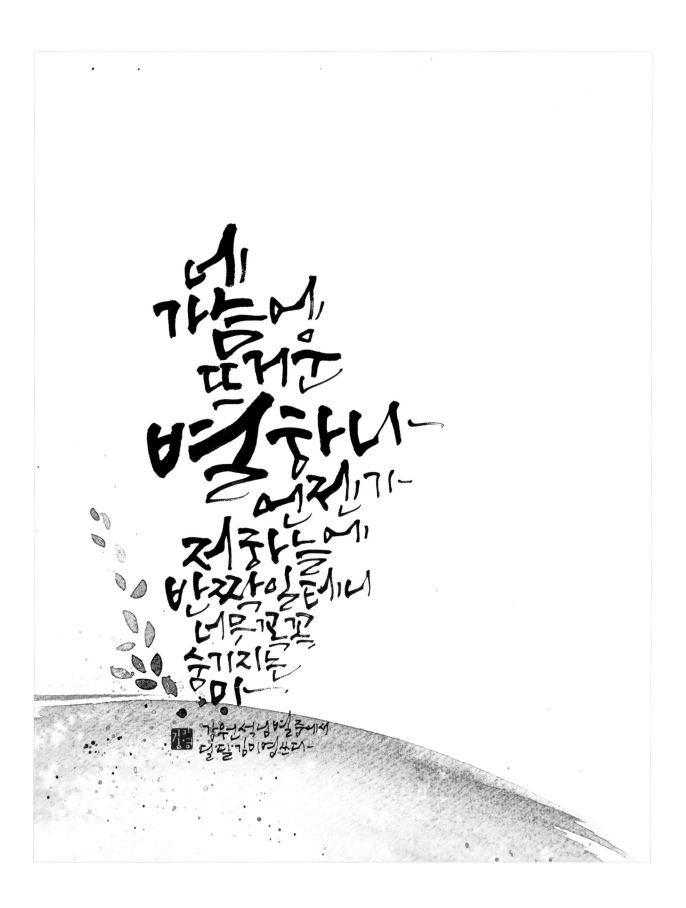

내 가슴에,
뜨거운
별 하나~
언젠가~
저 하늘에
반짝일 테니
너무 꼭꼭
숨기지는 숨마~

강원석 님 별 중에서
딸딸 김미영 쓴다~

강원 석심의
오두막에서
럼럼
김미영
가려쓰다~

강물에서 나는
일상의
먼지 하며
씻어가는
한그루
나무가
되어도
좋을

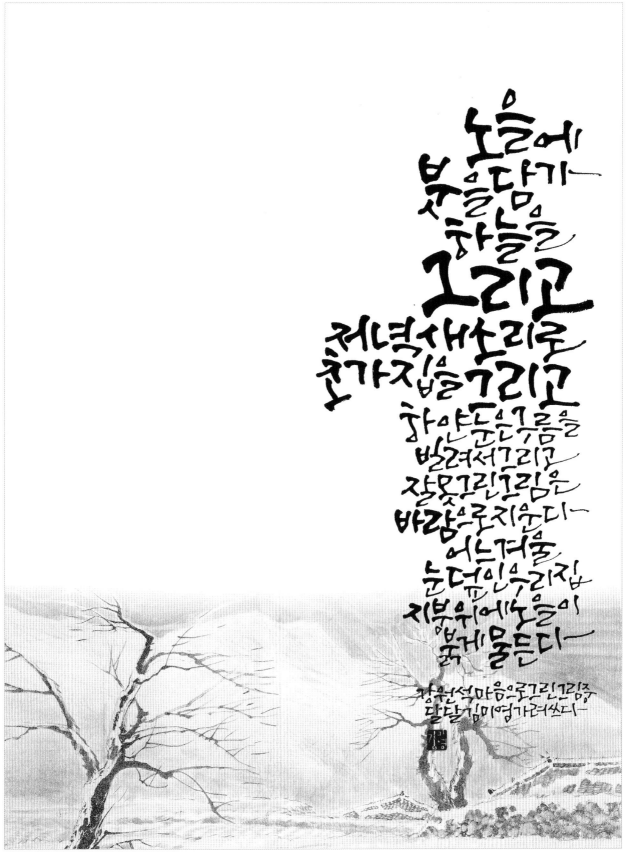

노을에
붓을담가
하늘을
그리고
저녁새소리로
초가집을그리고
하얀눈구름을
빗겨서그리고
잘못그린그림은
바람으로지운다—
어느겨울
눈덮인우리집
지붕위에노을이
붉게물든다—

강원석마음으로그린그림중
달달김미영가려쓴다—

밤비는
여자가

아는남자
멸멎쳐러
날멎
쳐러

바닷가
외로운
섬 속을
헤매는
물새 나간
갈매기는
돌아오는데

203

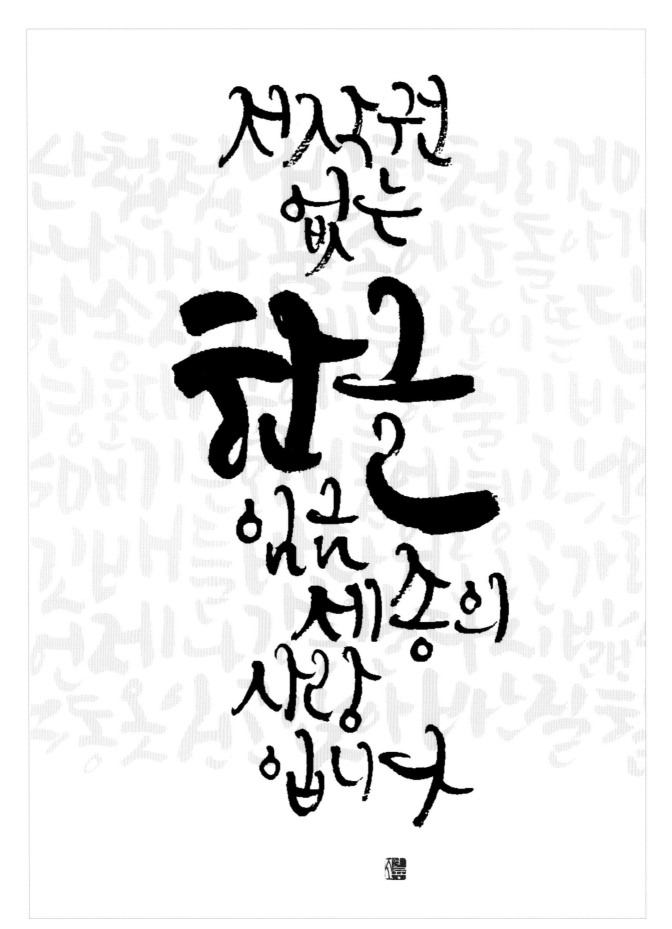

서사권 없는 한글 있는 세종의 사랑 입니다

춤은 계한민족 고유의 영혼이오

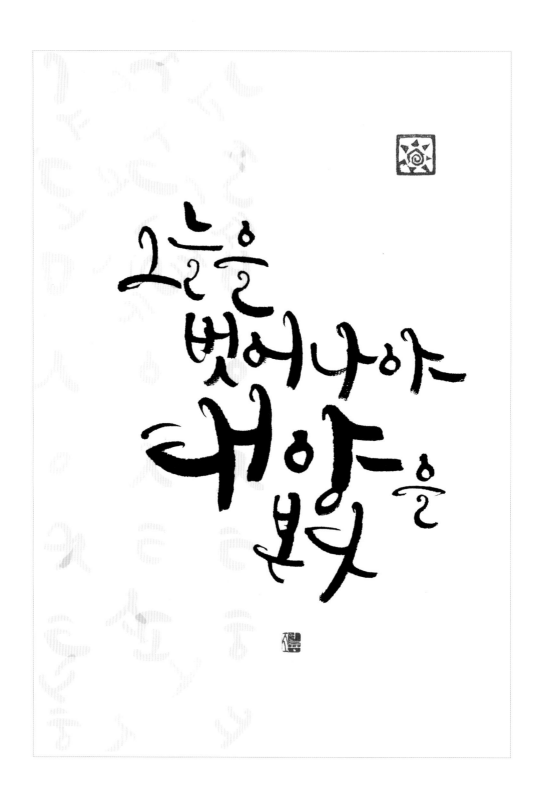

오늘을
벗어나야
내일을
봤

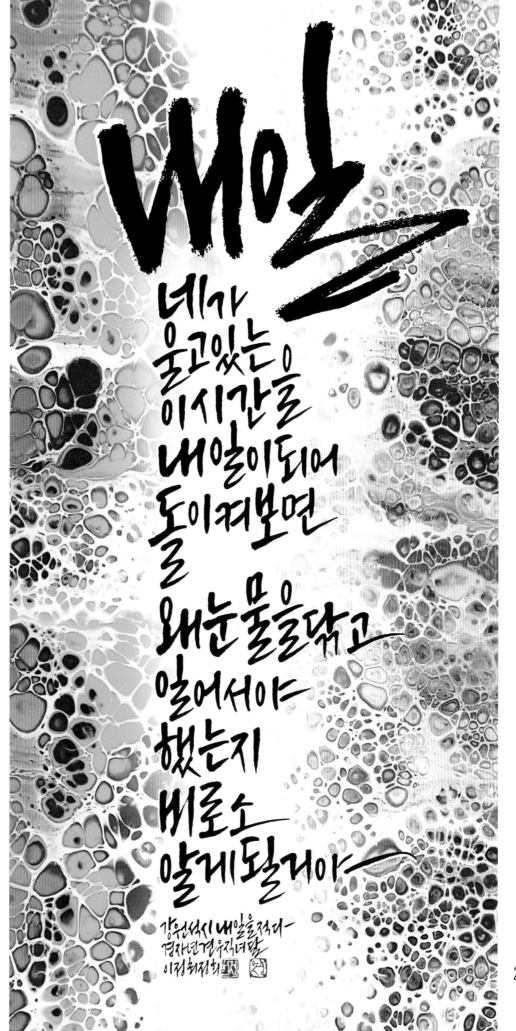

새 옷

네가
울고있는
이시간을
내일이되어
돌이켜보면

왜눈물을닦고
일어서야
했는지
비로소
알게될거야

강원섬시 내일을적다—
경자년겨울 우자녀당
이정휘정희 [印][印]

207

별꽃

별꽃이 짝트는 저녁에
나비처럼 생긴 구름 한조각
너울너울 날아와 하늘밭을 맴도네

별꽃을 꺾어서
그녀에게 가져가면 나비구름
하나둘 쫓아서 따라올까

수많은 별꽃송이
하나만 따다가 우리님 예쁜방
유리병에 꽂아두면

별꽃도 꽃이라 향기롭게 웃음짓고
별꽃도 별이라 밤새도록 빛나겠지

늦은저녁 지붕아래 어둠은 잠들어가고
마음은 밝아오네

이천이십년 구월 강원서시 별꽃을
산여울 최정희 올려적다

208

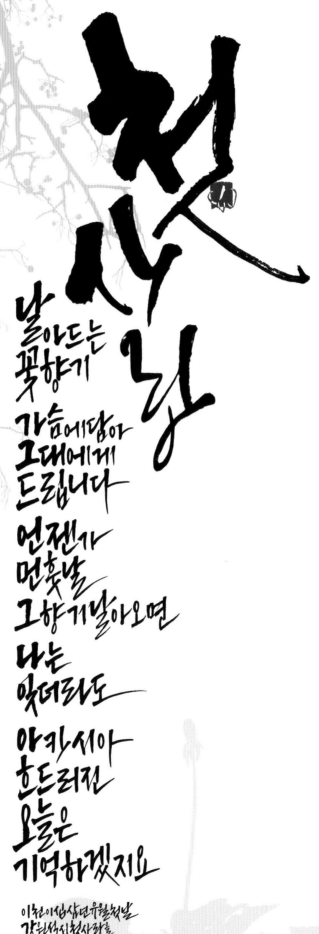

첫사랑

날아드는
꽃향기

가슴에담아
그대에게
드립니다

언젠가
먼훗날
그향기날아오면

나는
없더라도

아카시아
흔들리던
오늘은
기억하겠지요

이천이십삼년유월첫날
강원석시첫사랑을
떠담최정희쓰다

209

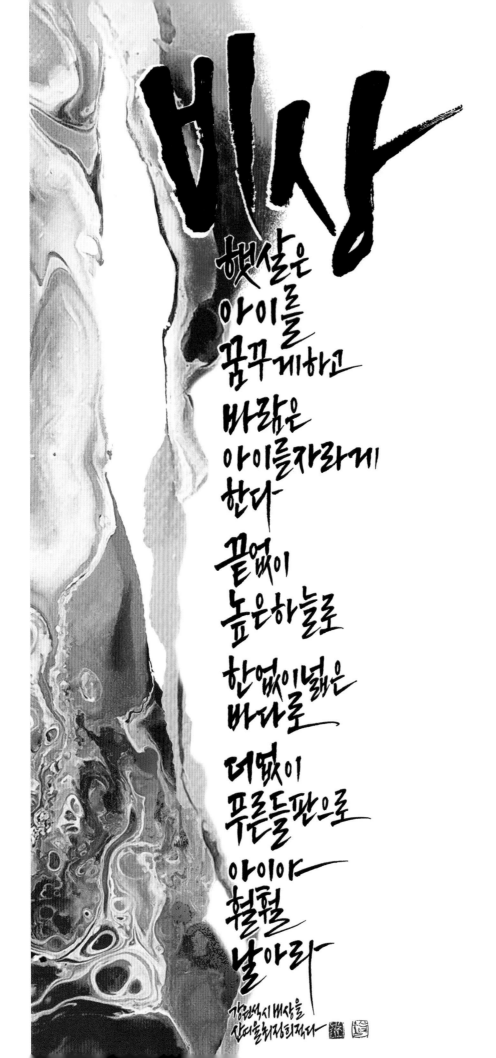

비상

햇살은
아이를
꿈꾸게하고
바람은
아이를자라게
한다

끝없이
높은하늘로

한없이넓은
바다로

더없이
푸른들판으로

아이야
훨훨
날아라

강원석시 비상을
산머슬쿄정희쓰다

210

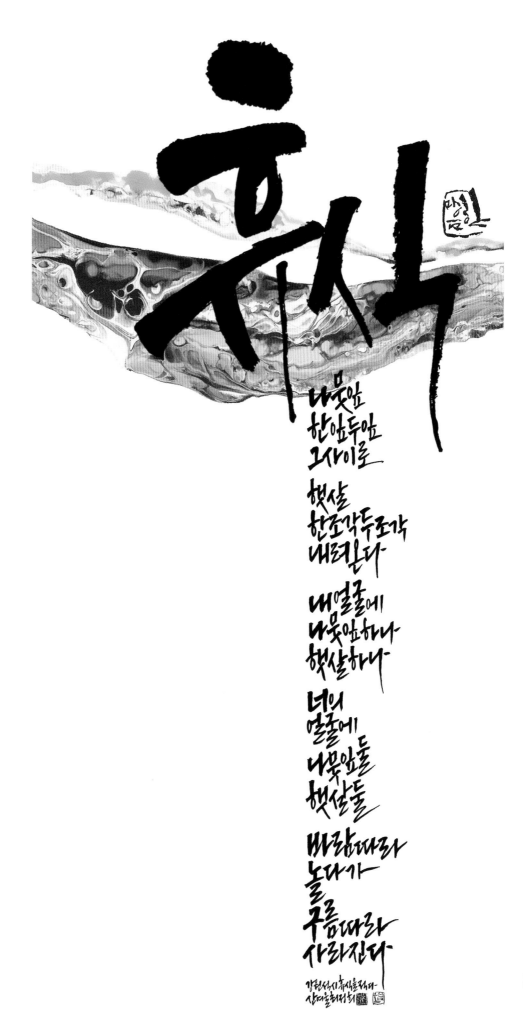

휴식

나뭇잎
한잎두잎
그사이로

햇살
한조각두조각
내려온다

내얼굴에
나뭇잎하나
햇살하나

너의
얼굴에
나뭇잎둘
햇살둘

바람따라
놀다가
구름따라
사라진다

강현식의 휴식을터대-
산대물처럼히

211

그 사람을 만나고 싶었어

그 품에 안기면
한없이 부서져
버릴 다 내주고도 흐르고
흐르는 물길은 사랑
아무것도 아닌데'
아무것에나 닿아도
꽃이 되는 사랑
꽃같은 사랑 같은 사랑

김상유님글 꽃같은 글이어서
김정희가 그려적다

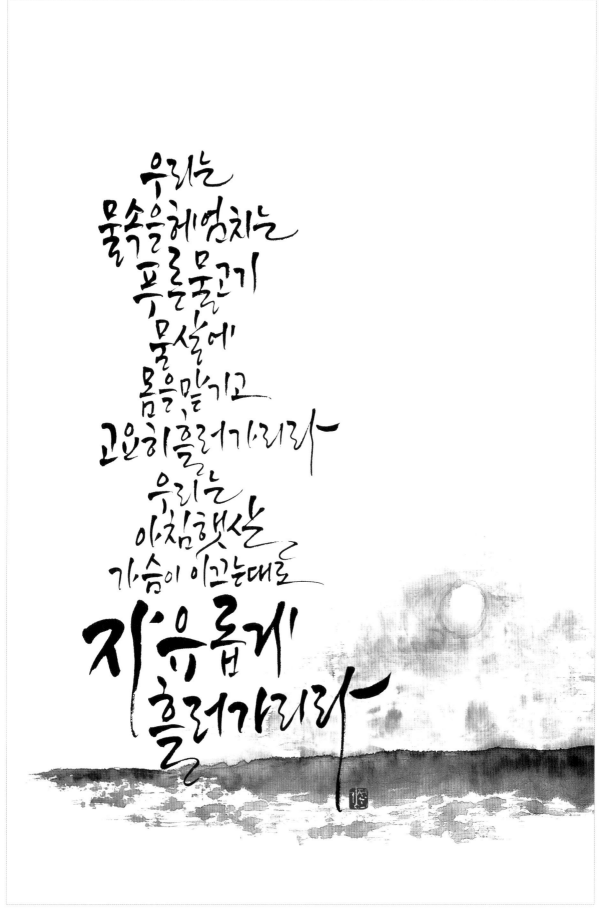

우리는
물속을 헤엄치는
푸른 물고기
물살에
몸을 맡기고
고요히 흘러가리라
우리는
아침햇살
가슴에 이끄는대로
자유롭게
흘러가리라

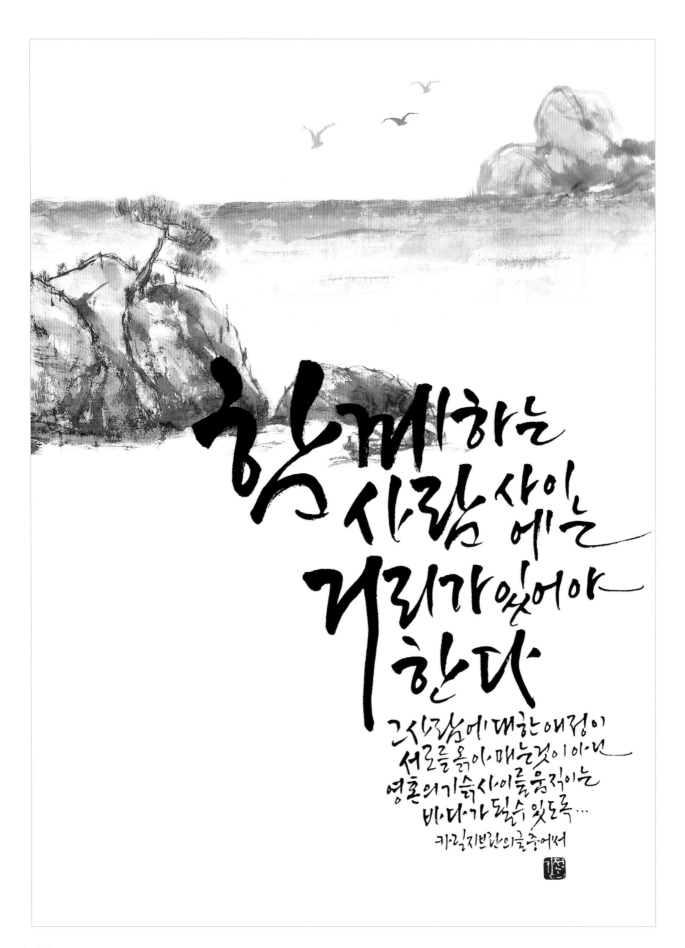

함께하는
사람 사이에는
거리가 있어야
한다

그 사랑에 대한 애정이
서로를 옭아매는 것이 아닌
영혼의 기슭 사이를 움직이는
바다가 될 수 있도록...
칼릴지브란의 글 중에서

214

그저 살아지는 하루가 아닌 오늘도 충실히 살아내는 삶이 되기를...

오늘은 선물

바람에 물결치는 푸른 들판과
모퉁이가 어느새 흩어지는 구름이
옷깃을 스치는 청량한 바람과 눈앞에
미소짓는 당신이 나와 둘이 아닌
오늘이 나에게 준 선물입니다

216

김 미 영

· 달달공작소 대표
· 한국예술문화캘리그라피협회 이사 및 대구북지회장
· 대한민국영남미술대전 캘리그라피 초대작가
· 대한민국국제서화대전 캘리그라피 초대작가
· 대한민국삼봉서화대전 캘리그라피 초대작가
· 대한민국낙동예술대전 캘리그라피 초대작가
· 허난설헌 문화제 캘리그라피 대상
· 제31회대한민국서예전람회 우수상
· 한국예술문화캘리그라피협회 창립전 외 협회전
· 개인전 1회
· 동상이몽전 외 단체전 80여회
· 한국미술협회, 대구미술협회, 묵원회
· 인스타그램 daldal_8761
· 블로그 blog.naver.com/my8761

김 정 희

· 소공화 캘리그라피 대표
· 한국예술문화캘리그라피협회 이사 및 경북지회장
· 대한민국삼봉서화대전 캘리그라피 초대작가
· 포항서예대전 캘리그라피 초대작가
· 대한민국삼봉서화대전 캘리그라피부문 대상
· 대한민국낙동예술대전 캘리그라피부문 최우수상
· 대한민국영남미술대전 캘리그라피부문 최우수상
· 대한민국현대서예전람회 특선 외 다수입상
· 포항시서예대전 캘리그라피부문 삼체상
· 한국예술문화캘리그라피협회 창립전 외 협회전
· 동상이몽전 외 단체전 30여회
· 인스타그램 sogongwha

성 희 연

· 연캘리그라피디자인 대표
· 한국예술문화캘리그라피협회 이사 및 대구달성지회장
· 대한민국영남미술대전 캘리그라피부문 우수상
· 대한민국국제서화대전 캘리그라피 시의장상 외 다수입상
· 대한민국삼봉서화대전 캘리그라피 삼체상 외 다수입상
· 대한민국낙동예술대전 캘리그라피 특선 외 다수입상
· 대한민국현대서예전람회 다수입상[(사)한국서가협회]
· 대구서예·문인화대전 다수입상[(사)대구미술협회]
· 한국예술문화캘리그라피협회 창립전 외 협회전
· 동상이몽전 외 단체전 50여회
· 인스타그램 shy8334
· 블로그 blog.naver.com/shy8334

이 숙 희

· 하이섬공방 대표
· 한국예술문화캘리그라피협회 이사 및 대구동지회장
· 대한민국영남미술대전 캘리그라피부문 초대작가
· 제16회 낙동예술대전 캘리그라피부문 대상
· 대한민국영남미술대전 캘리그라피부문 우수격려상 외 다수입상
· 대한민국현대서예전람회 특선 외 다수입상[(사)한국서가협회]
· 대구서예·문인화대전 특선 외 다수입상[(사)대구미술협회]
· 포항시서예대전 캘리그라피부문 특선[포항서예가협회]
· 한국예술문화캘리그라피협회 창립전 외 협회전
· 동상이몽전 외 단체전 50여회
· 인스타그램 haisumcalli
· 블로그 blog.naver.com/ssiomasi

조 면 룡

· 조면룡캘리그라피 글그림 대표
· 한국예술문화캘리그라피협회장 및 대구남지회장
· 한글 글자체 디자인 등록출원
· 제3회 등대 캘리그라피대회 대상
· 각종 대회및 공모전, 최우수, 우수 다수 수상
· 삼성현미술대전 심사
· 조면룡캘리그라피 개인전-꽃피는 아침별
· 시인보호구역 기획 초대전-시를 그리다
· 먹물속풍경 그룹전 외 회원전 다수
· 한국예술문화캘리그라피협회 창립전 외 협회전
· 인스타그램 geulgeurim
· 블로그 blog.naver.com/mrjo-harmony

최 정 희

· 개인전 12회 [서울 5회, 안동 1회, 대구 1회, 포항 4회, 경주 1회], 단체전 300여회
· 영남대학교 대학원 회화과 회화전공 석사과정
· 고려대학교 교육대학원 서예문화최고위과정 수료
· 대한민국서예전람회 캘리그라피부문 심사위원 [2016, 2018, 2020, 2022]
· 대민국서예대전 초대작가 및 심사위원[2014], 경상북도서예대전 외 심사위원 다수 역임
· 대한민국서예대전, 경상북도서예대전, 서예대전, 대한민국서예문인화대전, 서예문화대전,
  대한민국화성서예대전, 세계서법문화예술대전, 신라미술대전, 포항시서예대전 초대작가
· 고려대학교 교육대학원 서예문화최고위과정 총교우회 홍보이사 역임
· 제24회 포항국제아트페스티벌 운영위원장[포항예술문화연구소]
· 포항캘리그라피협회장, 한국예술문화캘리그라피협회 부회장
· 한국미술협회, 한국서예협회, 한국캘리그라피창작협회, 한국아트크래프트협회,
  포항예술문화연구소 회원
· 인스타그램 choijunghee_calligraphy

어디서 꽃향기가 나서 봄이 오는 줄 알았습니다.
『정석캘리그라피』이 책에서 나는 향기였나 봅니다. 꽃처럼 향기롭고 별처럼 빛나는 책에 부족한 저의 시가 26편이나 실렸습니다.
감사하고 영광스럽습니다.

『정석캘리그라피』는 여섯 분의 캘리그라피 작가님이 몇 년간 정성을 들여 만든 책입니다. 한 분 한 분의 실력이 모두 출중하시고, 후진 양성 등 왕성하게 활동하는 분들이라 이 책의 가치는 더 큰 것 같습니다.

글꽃 향기 가득한 책을 보며 누군가 꿈꾸길 바라며, 캘리그라피를 하시는 모든 분께 이 책을 추천하고 싶습니다.

축하와 감사의 마음 담아 시 한 편 전합니다.
그대는 꽃이고 세상은 꽃밭입니다.

강원석 시인/법학박사

세상을 향해

강원석

지난날
별을 보며 꾼 꿈들이
오늘 꽃이 되어 피었다

고운 빛깔 맑은 향기
온 세상에 뿌려야지
나는 꽃이니까

젊음은 예쁘지만 깊은 주름과 미소는 아름답습니다.
반짝거리는 맑은 햇살은 예쁘지만 그 햇살을 받아 서 있는 나무는 아름답습니다. 혼자 자신의 길을 걷는 것도 멋지지만 함께 어울리는 풍경은 참 아름답습니다. 예쁜 글자에 머물지 않고 마음을 담은 아름다운 캘리그라피가 되기를 기도합니다.

유한근 시인/유비학

"캘리그라피로 세상을 아름답게 만드는 사람들"

한글의 아름다움을 자랑하는 귀한 캘리그라피 책이 나와서 반갑다. 우리집에도 내 시를 캘리그라피로 써 준 작품이 몇 점 있다. 볼 때마다 기분이 좋고 시가 더 돋보였다. 디지털화된 다양한 서체들도 있지만 캘리그라피 작가를 통해 재탄생되는 세상의 단 하나 뿐인 캘리그라피는 책을 더욱 살아 움직이게 만들어 주었다.

『정석캘리그라피』는 자음과 모음, 단어, 문장, 그리고 다양한 캘리그라피 작가님들의 작품을 통해 체계적으로 배울 수 있는 값진 책이다. 캘리그라피를 보다 체계적으로 쉽게 배울 수 있도록 여섯 작가님들의 손길로 함께 만들어진 책이라 더욱 의미가 있다. 서체 하나 하나 따라 쓰다보면 세상에 단 하나 뿐인 나만의 멋진 작품이 탄생하지 않을까?

바쁜 시간에 혼자서도 캘리그라피를 배울 수 있는 방법이 없을까 고민하는 이들에게 실질적인 도움이 되며, 다양한 서체를 통해 캘리그라피를 보다 풍성히 배우고 싶은 분들의 갈증을 해소할 수 있는 귀한 책이라 적극 추천드린다. 한글의 아름다움을 전 세계에 다시 한번 알리는『정석캘리그라피』출간을 진심으로 축하드린다.

김혜경 작가/펀펀힐링센터대표

정석캘리그라피

초판 1쇄 발행일 2024년 3월 15일

지은이 　｜ 김미영·김정희·성희연·이숙희·조면룡·최정희
펴낸이 　｜ 한향희
펴낸곳 　｜ 도서출판 빨강머리 앤
디자인 　｜ 성희연·최정희
출판등록 ｜ 제25100-2005-28호
주소 　　｜ 대구광역시 달서구 문화회관길 165, 대구출판산업지원센터 411호
전화 　　｜ (053) 257-6754
팩스 　　｜ (053) 257-6754
이메일 　｜ sjsj6754@naver.com